38 明代
西元 1368～1643 年
[注音本]

全新

吳姐姐講歷史故事

吳涵碧◎著

目錄

【第799篇】

瓦剌使節團入貢。

英宗聽信王振的意見，勞師動衆討伐麓川，最後獲得勝利，大將王驥終於得勝班師，並且在金沙江立石爲誓：『石爛江枯，爾乃得渡。』

的確，明朝這一次用兵，雖然是威伸絕域，可是，動兵十五萬人，轉戰半個天下，人力物力的消耗極大，依然是得不償失。同時，由於麓川一戰，引起了英宗與王振好大喜功的心理，促成了驚天動地的『土木之變』。

元朝滅亡之後，蒙古人被趕回舊居之地，居於東部一帶的，稱之爲韃靼，居於西部的則稱之為瓦剌。瓦剌愈來愈強，尤其到了明英宗正統四年，也先任丞相輔佐脫脫不花，也先是一個貪狠厲害的角色，自稱為太師。不過，初起之時，對於明朝，依然保持邦交，經常遣使入貢。

中國人一向是以天朝上國自居，看不起夷狄之邦，瓦剌既然遣使入貢，明朝為了面子，總是請他們住最好的旅舍，搬出最為豐盛的招待。不但如此，貢使臨走，明朝還一個個人一個人給賞，幸而人數不多，只有區區五十人，開銷不算大。

這五十名瓦剌使者又吃又住又拿，簡直捨不得回去了，輕輕鬆鬆走一遭，竟然能夠撈到這樣的好處，個個心花怒放，下次還想來。

第二年，又到了入貢的時候，也先心想，反正明朝有的是錢，不拿白

不拿。於是，代表團人數由五十人一下子增加了十倍，五百人浩浩蕩蕩自瓦剌到了北京城。

禮部接待的官員，嚇了一大跳，吃驚地問：『咦，怎麼今年來了這麼多人？』

瓦剌爲首的代表，笑嘻嘻地說：『這表示對大明朝的敬重之意。』

禮部啞巴吃黃連，有苦說不出。可是，人數激增，招待吃力，而且處處仍得講究排場，不能讓瓦剌人看寒酸，臨走，又是一人一個厚厚的大紅包，只是禮部官員再三表示：『明年，派五十個人便可，用不著如此麻煩。』

到了第三年，瓦剌的貢使，竟然高達一千人，禮部相當相當不悅，又不方便發作，於是，在一行人吃飽喝足返回瓦剌之前，不得不拉下臉來，鄭重表示：『貢使人數，維持五十個人，下一回，千萬不許擅自增加。』

但是，明朝說歸明朝說，瓦剌根本相應不理，到了正統十年，人數增加到兩三千人，明擺著年年敲竹槓，把明朝當凱子。

正統十四年，瓦剌居然號稱來了三千人之多，更過分的是，所謂三千人，不過是書面上的，其實，實到人數，僅僅是兩千多人，瓦剌是虛報人數，實領賞賜。

同時，瓦剌入貢的馬匹，也不再是精良的純種馬，其中混雜了不少劣級老馬，這一切的一切，都讓明朝實際當家的王振，氣得是沸騰滾滾。

終於有一天，王振被惹火了，他把禮部的人叫來，先是臭罵一頓：『你們這樣子辦事，國庫非給掏空不可。』

接著，王振臉一板：『這一回，瓦剌派了多少人來？』

『據說是三千人，當然，其實絕對沒這麼多，頂多來個八成左右。』

『好得很。』王振氣歪了：『也先這個混球，還把我大明朝放在眼中嗎？不但年年敲竹槓，甚且，他還鼓動蒙古其他部落，一起向明朝討賞。也罷，你聽好，今年的賞賜只有六百人的數量。』

禮部官員期期艾艾道：『這不是只有瓦剌報上來的五分之一嗎？』

王振臉一朝天：『這不好嗎？』

禮部的人，夾著尾巴回去，乖乖照辦。可想而知的，瓦剌的人拿到了賞賜，臉都綠了。

一行人回到瓦剌，也先又羞又惱，二話不說，就在正統十四年，發動了塞外諸番，聯兵入寇。

也先大舉入寇的消息，傳到了北京城，大家都十分震驚，獨有王振，開心極了，他飛快地跑去報告明英宗：『陛下露臉的機會終於來了，陛下當效法太祖成祖御駕親征，削平瓦剌，在我大明朝的歷史上記下一筆。』

明英宗一向最聽『王先生』的話，一聽此言，也沒有細想，馬上就跟著興奮起來，『對，對，朕當效法祖宗，御駕親征。』

英宗自幼生長於深宮，不明外界狀況，在他看來，御駕親征，馳騁於荒野大漠之間，想來與打獵一般有趣刺激，何況，一切有他最信賴的王先生調度安排，他是再放心不過了。

於是，英宗躊躇滿志道：『看吧，待朕親征歸來，朝廷裡的大老們，誰敢再瞧不起朕？』

英宗內心深處的自卑心理，也促成了這一場與瓦剌之間的大戰。

閱讀心得

【第800篇】

王振衣錦還鄉。

英宗正統十四年，也先大舉入寇，朝廷震驚。宦官王振一向好大喜功，明英宗又是一個自幼生長於深宮，完全少不更事的君主，欣然同意王振的建議，決定御駕親征。

吏部尚書王直首先力諫：『國家邊備最為謹嚴，堅甲利兵，隨處充滿，且耕且守，是以久安，不必親御六師，遠離塞下，兵凶戰危，臣以為不可。』英宗才不管他的『臣以為不可』。除王直外，兵部尚書鄺埜（埜讀

『野』）、侍郎于謙也紛紛表示：『六師不宜輕出。』

王振悄悄地對明英宗洗腦：『這些臣子都是在阻撓陛下立功的機會，也先入侵，完全是預料中事，甚且是事先設計的，豈有不勝之理，陛下要不要在明朝歷史上留下一筆，就看陛下是否要親征。』

英宗望著王先生，眼神中有說不出的信賴與崇敬，當下把一切軍事都交給了王振，讓他全權處理。

王振是宦官，從來沒摸過軍事，驟然當起總司令，又興奮又不知所措，他把兵部的人叫來，板起臉孔道：『今天是七月十四日，我命令你們，在兩天之內，調集五十萬大軍，不得有誤。』

兵部的人一聽，人都傻了，兩天之內準備五十萬兵馬糧餉，簡直是開

明

玩笑，但是，又不敢開口解釋，王振是個大外行，說了也不懂，搞不好，王振一發怒，自己的腦袋先搬了家。

兩天很快就過去了，到了七月十六日，果然自各地調來五十萬人馬，由於過分倉促，車輛馬匹、戈矛弓矢、糧草器具，全部不齊，破破爛爛，眞正是所謂烏合之衆。

明英宗倒是異常地起勁，下詔親征，命弟弟郕王留守。英宗心想，帶去人馬想必是愈多愈好，愈能顯現威風，於是，自英國公張輔以下，包括六部尚書，連官帶兵，聲勢驚人，從來也沒聽說出兵打仗是如此累贅的，明太祖、成祖若是看到這種子孫不肖的行徑，一定會氣得再死一次。

七月二十日，大軍出發。第二天，夜宿龍虎台，風橫雨狂，軍中夜驚，眞正是不祥之兆，馬上有人想到這是出師不利。二十七日抵達宣化府，連日風雨，人心惶惶，尤其是兵士缺乏糧草，沿途有不少士兵是餓死病死的。兵部尚書鄺埜實在看不下去了，直叩行宮，當面奏請停兵。

王振認爲，鄺埜是存心潑他冷水，氣得七竅生煙，勃然大怒：『你這個書呆子，懂得什麼軍事？』王振厲聲地喝斥，『再亂說話，我就殺掉你！』

『我是爲了社稷生靈，你用不著拿死來嚇我。』鄺埜亢聲回答：『我不怕死。』

他雖然不怕死，王振卻不理，大喝一聲，『把他給弄出去，罰他在野草之中長跪！』頓時，有幾名校尉向前，半扶半拖地把他攆出行宮，跪在野地裡。

如此一來，一方面更失軍心，另一方面，王振的威勢更大，許多人怕死了王振，一見到王振，不由自主地雙膝落地，王振忍不住仰天長笑。

八月初一，明朝大軍到達大同，和也先的部隊發生了接觸戰。由於明軍兵士缺糧，軍心動搖，一戰下來，明軍橫屍遍野，到處可見開膛破肚的傷兵死士。雖然此時，也先暫且退兵，那種戰爭悽悽慘慘的景象，讓王振首次體會到，似乎不太好玩。

接著，王振召見郭敬之後，背脊一陣一陣地發涼，鄺埜這些書呆子的話，王振是聽不入耳的，可是，郭敬不一樣，郭敬是王振派在大同的心腹。

郭敬憂心忡忡道：『太師成國公朱勇帶領的前鋒三萬人，與也先交鋒，大敗而潰，這是第一樁，也先可非等閒之輩也。』

郭敬並且正色地說：『也先爲人詭計多端，目前雖然暫時退兵，其實是誘敵深入，絕非懼怕我軍。』

王振這下子可有點兒發急了，他問：『依你之見，又該如何？』

郭敬回答：『三十六計，走爲上策。再說，王先生不妨以也先退兵爲理由，堂而皇之退兵，再晚可就來不及了。』

旁人的話，王振可以不聽，郭敬的勸告，王振是非要考慮不可。第二天一大早，王振下令班師。

退兵也就退兵罷了，誰知道王振突發奇想，他心忖，此去距離他老家蔚州不遠，若是能把皇帝帶到蔚州一趟，讓鄉里的人瞧一瞧，當初看不起他的人成國公朱勇等人向他報告之時，竟然是膝行向前，那該有多威風，衣錦還鄉，人生快慰莫過於此。

因此，王振打定主意，要藉此機會風光一番，光宗耀祖，誇示鄉里。

閱讀心得

【第801篇】土木堡之變。

宦官王振好大喜功，慫恿明英宗討伐瓦剌也先，卻出師不利，也先誘敵深入，暫且退兵，王振聽從郭敬的話，決定回鑾。

按理說來，車駕應入紫荊關，往東八十里，便是易州，就到了安全地帶。但是，王振是山西蔚州人，他希望皇帝能夠『順便』臨幸他的故鄉，以便誇耀鄉里，揚眉吐氣，因此，原來應該往東南的行軍路線，改走爲直指正東方向。

王振一心只想露臉，腦海中盡是鄉人又羨又妒的眼光，他卻忘了，時值秋收季節，幾十萬大軍，把田裡的收成，踐踏得如一攤攤的爛泥巴。

王振一看景象慘不忍睹，心想，這一著棋走錯了，眞要回到蔚州，準被鄉里的人咒罵死，不成，不成，又趕緊改弦更張，仍然取道宣化府，如此一耽擱，就被也先給追上來了。

八月十三日，明朝大軍到了懷來以西的土木堡，鄺埜緊急上奏：『請陛下車駕疾驅入關，嚴兵爲殿。』

王振又發脾氣：『你這個腐儒，又來煩我，來人啊，拖他出去！』

原來，王振原先準備衣錦還鄉，因此，帶了一千多輛車子，裡面裝滿了在京城裡搜括來的寶貝，這一會兒，車輛未到，王振不放心，因而，需

要等待。

鄺埜知道原委，更加火大，他憤憤不平道，此是何時，竟然不顧萬乘之尊，而重視千乘輜重？

第二天，八月十四日，更恐怖的事竟然發生了，土木堡是一塊高地，掘井掘到兩丈深，尚不及泉，人馬皆渴，而十五里外，唯一的一條河，已被也先所占，這該如何是好？莫非大家一塊乾渴而死？

正在一籌莫展之際，第二天正是中秋佳節，突然出現了轉機，也先派了使者前來談判。

英宗欣然同意，特召翰林學士曹鼐，寫好談和的敕書，另外派了兩名通事，偕同也先的使者，一塊兒回去覆命。

也先派人求和的消息，一會兒工夫，立刻傳遍了整個軍營，兵士們可樂了，紛紛離開自己的營區，四處去尋找水源，一時之間，整個軍營全給亂了。

原來這是也先安排的毒計，他等的正是明軍急急覓水的動作。於是，剎那之間，四處湧來瓦剌兵隊，高聲大呼：『凡是解甲投刃者不殺。』話是這麼說，怎可能不殺？明軍卻信以爲眞，一個個忙著拋下盔甲，脫下衣服，光溜溜的，更容易被瓦剌所殺，放眼望去，盡是赤裸裸的屍體，五十萬大軍，連同所有的裝備，蕩然無存，令人悲痛。

將相大臣遇難的，還眞不少，其中包括入掌機務的學士曹鼐，張益，兵部尚書鄺埜，戶部尚書王佐，侍郎丁鉉……等等，五品以下的官員，更是不可勝數。

至於罪魁禍首王振，有人說，他在亂兵之中被活活打死，也有人說，王振是被明朝的大將軍樊忠用長錘給劈死的，揮錘之際，樊忠還大呼：『我要為天下誅此奸賊！』

王振到底是如何死的？在兵荒馬亂之際，誰也顧不了誰，又有誰知道王振到底是怎麼見閻王爺的呢？

倒是明英宗，因為身旁有個得力的侍衛保護，侍衛身上所中的矢箭，加起來像一個刺蝟，可是英宗倒是福大命大，絲毫未傷。

英宗雖然毫髮無傷，內心的創傷卻是無可比擬的，他原先聽說親征，只覺得如打獵一般興奮好玩，真要上了戰場，又可怕又慘烈，恨不得馬上回宮。

英宗下了馬，垂頭喪氣一個人坐在草地上，暗自嗟嘆：『我這還算是堂堂大明朝之天子嗎？』

這一場大戰，對瓦剌的也先而言，眞是出乎意料之外的順利。原先，也先以爲碰上的對手，了不起是區區一個邊將，最多，也不過是朝廷派出的一名將軍。也先做夢也沒有料到，他的對手竟然是大明朝的皇帝。坦白地說，也先起初聽到英宗親率五十萬大軍前來，心裡還是挺怕的。因此，也先暫且退兵，探一探明朝的虛實。

等到也先發現明朝不過是紙老虎，尤其是堂堂大明朝，居然會爲一個小小宦官更改行軍路線，並且爲了宦官貪汙得來的金銀珠寶，延誤行程，也先情不自禁大呼：『這眞是老天爺賜給咱們瓦剌的禮物。』

閱讀心得

【第802篇】明英宗被擄。

土木堡之役，明軍大敗，英宗失魂落魄，一個人下了馬，頹然地坐在草地上，仰望天空，若有所失。

此時，一個瓦剌兵跑來，對英宗說：『快快脫下你的盔甲，也許能饒你一命。』

英宗雖然已到了窮途末路，畢竟還是一國之君，他從小到大，從來沒有人敢對他如此大呼小叫，毫無禮貌。

所以，英宗抬起眼來，看了一眼瓦剌兵，臉上全無表情，繼續兩眼發直，彷彿天上寫了字，他急於認出字來。

瓦剌兵見這個漢人架子挺大的，正準備一刀下去，結束這漢人的狗命。瓦剌兵的哥哥來了，見此漢人氣質迥異常人，雖然處在危難之中，仍然顧全身分，有一種難以言喻的高貴。

所以，這哥哥忙阻止道：『住手，此人非比尋常，假如我猜得不錯，他極可能是明朝天子。』

『天子？那不是更該殺了？』

『不，不可輕舉妄動，趕快上報。』

到底是哥哥有見識。

果然，不一會兒，也先找來俘虜中見過英宗的人一相認，俘虜本能地雙膝落地，高喊：『萬歲爺！』

這一下，也先可樂壞了，立刻把英宗軟禁在巴延的帳篷之中，日夜嚴密看管。

也先告訴部下：『這一回，我們撈到一塊大大的肥肉，可得善加利用才是。』

英宗人在屋簷下，不得不低頭，因此，他命梁貴帶了一封親筆信，命他交給懷來守臣。

梁貴把御書帶到懷來守臣處，又帶到了京城，交給了于謙。

于謙急急忙忙往下看：『朕現居於也先之弟伯顏帖木兒營帳之中，尚能以禮相待。彼輩意在金帛，望盡全力籌措鉅資，火速運送前來，滿足他們的要求，朕才可以脫困，切切，正統十四年八月十五日，月初上時。』

消息傳出，百官痛哭失聲，哭聲響徹雲霄，整個宮中，一片哀悽。

皇帝落入瓦剌手中，能有什麼辦法？當然只有全力搭救。

因此，孫太后（就是當年那個詭計多端的孫貴妃。英宗也就是孫貴妃從宮女手中搶過來的兒子。）哭得唏瀝嘩啦，下令打開貯藏金銀寶貨的『內承運庫』，揀選蒙古部落最爲歡喜的金珠重寶，滿滿地裝滿了八個大箱子。

另外，贖英宗的錢皇后也是罄其所有，把她自娘家陪嫁來的首飾金銀器皿，盛滿了兩個大箱子，一塊兒作爲贖金，由太常侍的提督，一路押運，一直送到大同。

也先看到十箱亮晶晶的寶貝，自然是心花怒放。不過，也先可不懂得『盜亦有道』的黑道規矩，東西嘛，也先是不客氣地全收下來了，人呢，也先可沒輕易放走，白白地讓肥羊回去，未免可惜，因此，也先押著明英宗，繼續地朝北走。

皇帝被瓦剌給擄走了，國不可一日無君，接下來該怎麼辦呢？王直率領群臣，決定請皇太后下詔，立只有兩歲的皇長子朱見深為皇太子，由英宗的弟弟郕王輔政，由孫太后下詔：『神器不可無主，……仍命郕王為輔，代總國政，撫安萬姓，布告天下，咸使聞知。』明白表示，英宗依然是明朝的皇帝，且有歸來的一天。

此時，從前線逃回來的敗兵，滿街亂走，衣衫不整，破破爛爛，真不像個樣子，文武百官見了面，總是互相搖頭歎息。不過，所有的人講到最後，總會歸結到同樣的一個結論：『這一切一切都是王振害的，也先既然沒有本領打到京城，在邊疆鬧一鬧就是了，何必非要皇上親征，鬧出這麼樣一個大亂子。』

所以，當郕王第一次聽政，幾乎所有的奏章，全部都是要滅王振的族以謝國人。

十數名言官並且聯合上奏：『若不能奉王振滅族之明詔，臣等死不敢退。』

唸奏章的通政使，讀到這兒，哽咽不能出聲，人人心中原本有一腔悲痛，被如此一挑，個個痛哭失聲，眞正是男兒有淚不輕彈，只是未到傷心處，此時此刻，大明朝上上下下，都有說不出的傷心。

一時之間，朝廷哭成一團，完全喪失了秩序，郕王皺著眉頭，不想再待下去，急著往裡走，百官卻急著要答案，一擁而上，堵住了郕王的去路，整個場面，可以說已經失控了。

閱讀心得

【第803篇】

王振被抄家。

土木堡之役，明朝大敗，宦官王振死於亂兵之中，明英宗被俘，群臣情緒激動，個個嚷著：『王振傾危社稷，構陷聖上，今日不滅王振的族，死不甘心！』

這個時候，金英站在高處，做了一個請大家噤聲的手勢，用宦官特有的尖細如貓的嗓音叫道：『大家不要吵，皇上有令旨下來，命馬順前往王振住處抄家。』

『馬順是什麼東西？馬順就是王振的狗腿子，找馬順去怎行？』立刻有人高聲抗議。

給事中王竑一向忠君愛國，嫉惡如仇，這一會兒，再也不能忍耐了，他一個箭步向前，抓住馬順的頭髮，左右開弓，猛甩馬順的巴掌，然後，又狠狠地咬了一口馬順的肉，怒不可遏道：『想平日，就是你們這些人，幫助王振作威作福，事到如今，還在神氣，我倒要問問你，皇帝呢？皇帝被你們這群狐群狗黨弄到哪兒去啦？』

王竑狠命地咬住馬順的耳朵。

其他人見王竑發了狠，也就趁勢向前，又打又踢又踩，轉眼之間，赫赫一時的馬順命歸黃泉。

都御史
封
封
大明朝

馬順死了，群臣怒氣卻未消，百人高呼：『還有那毛貴、王長隨呢？躲到哪裡去啦？』

於是，毛貴、王長隨面如土色般被拖了出來，眾人拳打腳踢，又一下子死了兩個人。

接下來，輪到了王振的姪兒王山，他也是絕對別想逃掉的，王山被拉了來，跪在朝廷上，郕王見鬧得不成一個樣子，忍不住想溜，偷偷回到宮裡喘息。

于謙機警，急忙向前，拉住郕王的衣袖道：『殿下，敬請留步，殿下一走，場面更加無法收拾，請立刻頒旨，以爲安撫。』

郕王嚇壞了，一心只想趕快脫身，他擺擺手道：『你幫忙處理一下吧，代我宣諭，一切便宜行事。』

於是，于謙清一清喉嚨，用極爲嘹亮的聲音宣布道：『馬順等人罪該一死，既死不論。』群臣慢慢地安靜了下來。

于謙又宣布：『王山綁至市場立斬，王振家族無論長幼皆斬。當此國家危急存亡之秋，望人人共體時艱，共謀大計，大家先散了吧。』

于謙這個人，自小就是個領袖人才，他才七歲的時候，有位和尚見到于謙，聽到于謙特別洪亮的聲音，就忍不住誇獎道：『這個小孩，他日宰相的人才也。』

于謙是永樂十九年的進士，宣宗時代，宣宗便特別賞識于謙，認爲他磊磊大方，正詞嶄嶄，不像一般朝臣儘是唯唯諾諾，忙著揣摩上意。

于謙快刀斬亂麻，頃刻之間，就把朝廷亂哄哄的局面給平定下來。接著，于謙請示郕王：『不抄王振的家，恐怕仍難以使人心服，王振雖然號稱佛教徒，他的窮奢極欲也是人所共知的。』

郕王想了一下：『這樣吧，抄家不如就讓右都御史陳鎰去。』

陳鎰接受了命令，先去找金英，他問金英：『金公公，我奉旨抄王振的家，依你之見，我該帶多少人去，你得派錦衣衛的人幫個忙。』

『這沒有問題，你想要多少人？』金公公是個老好人，一向是比較好說話的。

『總得要個一百人吧。』

金英搖搖頭：『一百人怎麼夠，最起碼也得來個上千人。』

『要這麼多嗎？』

『陳先生，你大概不明白，你可知道王振有多少住處多少倉庫？』

『我的確不清楚，煩請金先生明告。』

『他有五處住宅，幾十個倉庫。』

陳鎰張口結舌：『這麼多！』

既然王振有如此多財產，陳鎰可不敢怠慢，萬一被王振身邊的人搶先一步，那豈不糟了？因此，事不宜遲，趕緊帶人前往各處，先貼上封條，再逐一清點。

隔了兩天，陳鎰初步提上來一個報告，王振共有大住宅五所，倉庫六十四座，其中一座倉庫之中，計有玉盤一百面，二十多株六尺高的珊瑚，其他珍玩無數。

由於王振當權七年，搜括的金銀寶貝太多，一時之間，算也算不清楚，所以陳鎰在奏章中加了一筆：『詳細目錄，必須要等兩個月後才能覆命。』

王振走了，家也被抄了，只剩下佛堂中的佛像，依舊法相莊嚴，冷冷地看著世間，或許這一切，早在菩薩的預料之中。

閱讀心得

【第804篇】

于謙臨危受命

土木之變，英宗被俘，宦官王振死於亂軍之中，朝臣悲憤異常，王振終於被抄了家，但是，問題重重，該如何解決呢？

郕王憂心忡忡道：『大敵當前，最重要的是團結一致，共禦外侮，希望人人知無不言，言無不盡。』

此時，人群之中突然閃出一個小矮子，急急忙忙搶著要開口。

衆人一齊望去，原來是徐珵，徐珵是蘇州人，擔任翰林院侍講，他自視甚高，的確也懂得不少，上通天文，下知地理，徐珵經常夜半時分，一個人對著天空發呆，對著滿天星斗思考問題。

由於徐珵細細瘦瘦，古靈精怪，有人笑他是『矮子肚裏瘩疙多』，但也有人挺佩服徐珵的。

這年的秋天，徐珵發現『熒惑入南斗』，熒惑便是火星，史記天官書中有載『熒惑出則有兵，入則兵散。』徐珵發現，熒惑不但出現，而且直接侵入南斗，這的確是非同小可，因爲南斗天星，代表著天子壽命。

所以，早在初秋，徐珵就命令妻小收拾細軟，火速地趕回蘇州老家，徐妻頗不以爲然，她嬌嗲地說：『老爺子，現在是秋老虎當道，最熱的時

方華

候，幹嘛非要這會兒趕路？眞沒有道理。』

徐珵吹鬍子瞪眼睛：『不要多嚕囌，我還會害你不成，你不怕韃子來？』

『眞有韃子會來？』徐妻張大了眼睛。

『你再不走，莫非想被韃子擄到大漠去？』徐珵果眞發了火，徐妻只有萬般不情不願，揮汗回老家。

這一會兒，也先入寇，徐珵更有自信：『果然不出本半仙之所料。』因此，徐珵一個箭步衝了出來，用極爲果斷的口吻，朗朗而言：『今臣驗之星象，稽之天數，天命已去，唯有朝廷南遷，才可以紓難。』

徐珵的話還沒有說完，于謙立刻高聲喊道：『主張南遷者，可斬也，京師是天下的根本，一去則大勢已去，莫非宋朝南渡的教訓還不夠嗎？』

于謙一向極有威嚴，這幾句話又批駁得厲害，一時之間，個個都噤口不言。

金英附和于謙，跟著來了一著，他指著徐珵道：『此人胡說八道，根本不配在這兒議事。』

徐珵接連吃了兩個極辣的火鍋，誰若是與他有相同的意見此刻也不敢開口了。

王直沈著說道：『今日之危急，臣以爲宜升于謙爲尚書，悉心籌畫軍事。』

郕王點點頭道：『好，現在于謙就是兵部尚書。』

于謙也不推辭，他誠懇道：『受命於危難之際，臣實也不敢不盡心。』

郕王又問：『于謙，你心目中有哪些武將可用？』

于謙稍微思索了一下：『臣推薦石亨、楊洪、柳溥與孫鏜。』

『好，一切聽你的。』

于謙雖然是一個文弱書生，卻具有一流的軍事頭腦，在土木堡不幸喪生的鄺埜便經常對人說：『我的才能的確不及于大人。』

于謙是永樂十九年的進士，宣德年間，在江西擔任巡按使，曾經昭雪冤囚數百人，博得了于青天的美名。

後來，由於楊士奇的舉薦，升爲兵部右侍郎，他每到一地，總是不辭辛勞，一個人騎著馬，走遍窮鄉僻壤，盡全力爲地方百姓造福。

英宗正統六年，于謙曾經向朝廷提出一個建議：『河南、山西一帶，積存了數百萬的穀子，在每年三月借給缺糧的貧戶，待秋收後再還。』英宗採納了于謙的建議。于謙在河南擔任巡撫之時，他親率民眾整治黃河，種樹鑿井，榆柳夾道，在山西，于謙不准軍官私占民田。

總而言之，在三楊（楊士奇、楊榮、楊溥）當道之時，對于謙是十二萬分地器重，他所提出來的建議，多半都是一律照准。

然而，到了王振當權，一切都不一樣了，王振歡喜人家巴結，盼望朝臣送禮。于謙兩袖清風，哪兒有餘錢去賄賂？再說，他個性剛直，根本不屑王振的所作所爲，要于謙也跪在地上，肉麻兮兮地呼王振爲『翁父』，那還不如要于謙去死。

于謙不肯低頭，王振自然不悅，曾經巧立名目，把于謙關入大牢，坐了三個月的監，因爲實在找不出理由，只好釋放。再加上山西、河南的官民，紛紛上書朝廷，請求于謙留任，所以，于謙再度擔任山西河南的巡撫。

正統十三年，于謙被調入兵部左侍郎，英宗親征之前，于謙曾經極力諫止，但是，英宗甩都不甩。

這一會兒，土木堡失利，英宗被俘，于謙心中眞有說不出的悲痛，事實比他當初預料的還要糟糕，做爲一個對國家有責任感的知識份子，有時內心深沈的悲哀實是一言難盡啊！

閱讀心得

【第805篇】于謙擁立明景帝。

土木堡之變，發生在明英宗正統十四年八月十四日，正好是中秋節的前一天。中國人一向重視中秋團圓，每逢佳節倍思親，對於遠在前方作戰的親人，更多了一層思念。

由於古代通訊事業落後，中秋前夕的慘變，隔了好些天才傳到京畿，人人奔走相告，帶著不可置信的神情，『奇怪，五十萬大軍，不是小數目，怎麼一下子的工夫全完了？』

有人氣憤填膺：『不成，咱們非尋也先報仇不可。』

也有人忙著燒香拜佛，祈禱出征的人兒，能夠順利平安的歸來。

更多人最最憂心的，該算是皇帝給擄了去，國不可一日無君。

明英宗的母親——孫太后尤其心焦如焚，不過，她倒不是感情上擔憂兒子，而是掛慮一己的身分地位。

孫太后就是當年那位貌若天仙、心如毒蠍的孫貴妃，孫貴妃爲了奪取皇后的寶座，利用宮女，生下一子，就是明英宗，並且軟硬兼施，擠走仁厚善良的胡皇后，終於母以子貴，當上了皇后，也才有今日孫太后的隆顯地位。

孫太后心想，我這個太后，得來不易，既然不能母以子貴，無妨，還

可以來個『奶奶以孫子貴』。

於是，孫太后快刀斬亂麻，在八月二十一日緊急下詔，立朱見深為太子，朱見深是明英宗的兒子，才只有兩歲大，剛剛會走路，還不會講話。孫太后的算盤是，萬一英宗福大命大，脫險歸來，皇位自然還是英宗的，若有不幸，沒關係，皇位仍然平平穩穩仍是她孫子的。孫子年紀雖小，不能親理政務，反正，暫時由郕王監國也就是了。

不過，人心惶惶，外頭議論紛紛，都說國賴長君，兩歲的奶娃娃，如何能夠維繫人心，尤其是，也先隨時入寇，眼前的局勢——危險啊！

孫太后不能對外界的紛擾，完全置之不理，不得不勉為其難，召見胡濙、王直與于謙三位老臣，垂簾聽取意見。

年紀最大的胡濙，最能明白孫太后的用心，首先發言：『臣以爲宜立太子爲帝。』

于謙忍不住脫口而出：『不可，立郕王則皇上歸國有日，立太子，則皇上歸國無期。』

『喔？』孫太后挑起了眉毛：『這是甚麼道理？』

于謙沈著地分析道：『不論立太子，或者立郕王，均當尊皇上爲太上皇。但是，若是立太子，太子只有兩歲，太上皇歸來，就是不復位，也必訓政，也先見奇貨可居，豈肯輕易放人。只有立郕王爲帝，也先發現明朝換了皇帝，皇上的價值減低，挾持也沒有什麼用處，這才可能放人。』

于謙的話還沒告一段落，王直立刻接口：『臣以爲立郕王遠勝於立太子。』

孫太后心裡嘔得很，卻又不能說，自己可以不顧兒子的安危，只好滿心不情願道：『我也認爲于先生的話，的確相當有道理。』

于謙是個不放心的人，他又追問了一句：『皇上回來，會不會復位？』

孫太后的臉色，益發難看，她原本漂亮的容顏，因爲多年來，用了太多的心機，線條剛硬，竟有點兒滿臉橫肉的猙獰，孫太后隔著垂下來的湘簾，終於被逼著說了一句：『太上皇歸國，依舊是太上皇。』

于謙這才笑逐顏開，恭恭敬敬地拜了一拜：『有此慈諭，相信太上皇不久之後，當可以平安歸國。』

郕王（郕王是宣宗的次子，英宗同父異母的弟弟）聽到消息，內心暗喜，表面可不能露出一絲絲的喜悅，並且讓再讓三，堅持不肯接受。一直拉鋸到了最後，于謙引用孟子所言：『社稷爲重，君爲輕。』郕王這才『不得不』答應，是爲明景帝。(社稷就是國家的意思。)

孫太后是極不願意看到這樣的發展。但是，她是大風大浪中走過來的人，表面不動聲色，一心一意是想護衛著兩歲的太子。

孫太后找了她一個心腹宮女阿菊來商量，孫太后是山東人，阿菊也是山東人，不過，孫太后是當年出了名的山東美女，阿菊則是粗手大脚，有幾分男人氣息的山東壯婦。

孫太后對阿菊說：『我不放心太子，害怕將有人會危害他的小命。』

阿菊搖搖頭：『不會的。』

『誰說不會？』孫太后拋了一個白眼。她心想，當初英宗的生母懷孕時，還不是歡天喜地，自以爲懷了龍種，誰能料到孫太后會下毒手，不但搶了宮女的兒子，並且把宮女給殺掉。

孫太后正色告訴阿菊：『我要你小心照料太子，等太子到了仁壽宮，你就好好幫我照料。』

於是，兩歲的太子，就被送到仁壽宮來，由十九歲的阿菊照料，誰也料想不到，以後，太子長大，成爲明憲宗，竟然娶了大他十七歲的奶媽阿菊，這段奇異的故事，我們以後會慢慢道來。

閱讀心得

【第806篇】

也先挾持明英宗。

土木之變，英宗被瓦剌的也先所俘，明朝上下，人心惶惶，幸賴大臣于謙在朝堂上主持正義，維護秩序，把局面穩定下來。

正統十四年九月，郕王即位稱帝，以次年爲景泰元年，是爲明景帝，遙尊英宗爲太上皇。景帝即位第一件大事，就是用于謙爲兵部尚書，主持大局。

也先把英宗俘來，當然要善加運用。英宗身邊有個小太監，名叫喜寧，人很靈巧，但是不被英宗喜愛，英宗被俘之後，喜寧立刻表態，願對也先效犬馬之勞。

喜寧對也先獻計：『攻北京最迅捷的一條路線，就是先取大同，不妨把太上皇押在前面，就說是要把太上皇送還回來，讓他回到北京去復位，如此一來，城門自開，明朝人總不能說，不要皇帝了吧。』

也先點點頭：『嗯，這個主意不壞。』

於是，也先派了人，挾持英宗到大同，假裝說是要把英宗還給明朝。

大同的守將郭登，是條硬漢子，他鬍長過腹，相貌英偉，治軍嚴格。

郭登自己登上了城門，用他特有的大嗓門，大聲地喊道：『賴天地祖宗之靈，國家已有皇帝了。』並且下令，把城門關得緊緊的。

同時，郭登又親自爲傷兵裹藥，誠懇地對軍士們說：『我誓與此城共存亡。』

也先攻不進大同，又去找喜寧問計：『郭登閉門不理，下一步又該如何？』

喜寧不慌不忙道：『剛巧我對邊關虛實，頗知一二，大同既然進不去，就攻紫荊關吧。』

紫荊關的守將，在上回戰役之中陣亡。新派來的孫祥，初來乍到，還沒有摸清楚狀況。孫祥只守了四天，城關就被也先攻破，孫祥也在巷戰之中，不幸捐軀。

兵敗的消息，傳到了北京，人人震驚，景帝急忙找于謙共謀對策。

大將石亨，長得方頭大耳，十分威武，他首先站出來發言：『也先來勢洶洶，我們不妨把北京城九個門緊緊關閉，來一個堅壁清野，也先在城外騷擾一陣子，又攻不入城門，自然會退兵。』

于謙不贊成，他說：『官軍只採取守勢，豈不是長他人志氣，滅自己威風？』

因此，于謙先點齊人馬，再分命大將駐守城門，下令鼓舞士氣，隨時出外迎擊。于謙還做了一件事，就是在城內外到處貼了軍令，上面寫著：『臨陣，將若是不顧軍士，先退者，斬其將。軍士若是不顧將，先退者，後隊斬前隊。』

這道軍令可不是鬧著玩的，于謙也不是說話不算話的人，人人看到軍令，都嚇得吐舌頭，也都知道非拚不可。

也先也找人撕了一張軍令，帶回來與喜寧研究。

喜寧了解于謙的爲人，他搖搖頭說：『于謙是準備不要命的來硬幹，他可不是說著玩的，用不著與他對上，這麼辦吧，不如派個使者告訴他們，派大臣來見太上皇，談個條件，多取些金帛。』

景帝接到消息，相當爲難，英宗被也先揑在手裡，也先說要明朝派大臣去接駕，於情於理，都不能不派個人去。可是，該派誰呢？若是也先把派來的大臣，又給扣了起來，豈不又多了一名人質，眞是傷腦筋，于謙在前線，此刻也不能共謀對策。

最後，景帝說：『這樣吧，不如找兩個小臣，升爲大臣，這樣，若是被扣押，損失也不大。』

於是，通政司參議王復，一下子成爲右通政，內閣中書趙榮，也馬上換了太常寺少卿的官服。景帝並且表示：『回來之後，一定升官。』

王復、趙榮又開心又害怕，表面上仍然不動聲色道：『朝見太上皇，臣子應有之義，不敢邀恩。』話說得挺漂亮的。

此二人打扮得人模人樣到了土城，晉見太上皇，只見太上皇臉色慘白，彷彿病得快要死了，憔悴枯槁，眞是虎落平陽被犬欺，看來好慘好慘。

太上皇身旁，十來個瓦剌兵，個個橫眉豎眼，臉露兇光，殺氣騰騰，王復、趙榮心中直打哆嗦。

喜寧在宮中待久了，一看便知，這兩個小臣不夠分量，他馬上咬著也先的耳朵，如此這般地說了半天。

接著，透過翻譯，傳達了也先的意思：『瓦剌國的太師淮王（這是也先自封的稱號）說，他們兩個小官，夠不上談判的資格，要談，就要找王直、胡濙、于謙、石亨來。』

王復、趙榮趕緊向也先行了禮，出帳上馬，趕回朝廷報告，景帝聽完報告，皺眉道：『此四人，都是軍國重事，倚仗至殷的，豈可自投羅網。』再說，景帝也不眞的希望太上皇歸來。

談判破裂，戰事再起。

閱讀心得

【第807篇】

于謙炮攻也先。

也先挾持明英宗，要求明景帝派于謙等四位大臣前來談判，景帝既不可能派大臣自投羅網，又爲了避免擾亂軍心，相應不理。

也先等了三天，沒有消息，決定大幹一場。也先心中，其實是相當看不起明朝的，浩浩蕩蕩五十萬明朝大軍，還加上皇上親征，三下兩下就清潔溜溜了，尤其擄來明英宗之後，英宗那種懦弱膽小，窩窩囊囊，毫無英雄氣概的小家子氣，眞讓也先給看扁了。

雖然，喜寧勸告也先，于謙可不是好惹的，在也先看來，于謙或許比喜寧強，強在忠心愛國，畢竟是永樂十九年的進士，百無一用是書生，文弱書生與也先作戰，太自不量力了吧。

也先開始了大規模的猛攻，也先輕易地攻入德勝門，發現空無人跡，也先未加深思，繼續前進，在土關附近，也先軍隊發現明軍，藏在北極寺後頭，也先大聲呼嘯道：『看你們往哪兒躲？』快馬加鞭，呼嘯追過去，明軍飛快往前奔，也先大隊緊追不捨。

也先部隊過了臥虎關，來到了西小關一帶，忽然之間，彷彿是一聲巨雷，也先部隊可傻了眼，還沒有弄清楚狀況，最前面的一批人馬，應聲而倒，後面的人，嚇得急急忙忙勒住馬韁。

『糟了，明朝在用九龍筒，』也先的弟弟孛羅解釋道：『這是一種厲害的火器，殺人不眨眼。』

孛羅的話沒說完，『轟隆，轟隆』連著三聲巨響，煙霧彌漫，空氣中全是刺鼻的硝味，好多面旗幟倒下來了，瓦刺兵也紛紛地摔下馬來，哀號之聲此起彼落，孛羅滿身鮮血，也陣亡了。

這一仗也先雖敗，但並未全軍覆沒，土城關一帶，最少還有兩萬部隊。于謙想用火炮，直接攻他的大營，又顧忌英宗在營中，忽然之間，卻得到了密報，說英宗已經北移。

『眞的嗎？』于謙又驚又喜：『快，再查！』

再查之下，果然英宗被送走了。于謙一拍大腿：『天賜我也！』於是，開始大規模地用炮。

火藥是中國人三大發明之一，火炮則是自元朝開始使用的。明成祖發動靖難，攻城略地，用得最多的，便是火炮。

守濟南的鐵鉉，一如其名，鋼鐵般的性格，成祖猛攻三個月，濟南城始終攻不下，鐵鉉也守得很辛苦，最後，成祖開始用火炮轟，聰明的鐵鉉，急中生智，製作了許多木牌，到處懸掛，木牌上寫的是『太祖高皇帝神牌』。中國人最注重孝道，成祖沒這個膽子，用火炮對付神牌，只好下令停止炮轟。

成祖正式得到天下以後，更積極改良火炮，尤其是平定交趾之後，有高人指點，製造了『神機槍炮』，其射程之遠，威力之猛，又非以前的土炮所能及，成祖大喜，正式成立了『神機營』，是為炮兵部隊。

于謙自從臨危受命，擔任兵部尚書之後，立刻要求工部，趕製炮架，架設在各個城門之上，現在是養兵千日，用於一時之際了。

當天晚上，于謙親自指揮，點起了火炬，接著，城外官軍，也一起點起了火炬，表示訊號傳到了，然後，剎那之間，五炮齊發，不但炮聲震耳，炮火的紅光更是耀眼，如果不是有人哀號，倒像是過新年放大火炮般地熱鬧。不過，這當然不是新年喜慶，那一顆顆火炮爆炸開來，可是要命的。

也先部隊可慌了，個個抱頭鼠竄，而且，只敢往黑處闖，因為亮處有火炬，代表有官軍，可是，黑處黑洞洞的，人擠人，擠死人，這麼一夜炮聲隆隆，也先的部隊全跑光了，明朝大獲全勝。

北京城外的居民可樂了，比過新年還興奮，看到遠遠來的也先部隊，紛紛用磚瓦石頭拋擊，倒也擊中不少，如此一來，也先的部隊更加緊脚步回老家，這一切，全在于謙的精心設計之中。

這一仗打下來，軍心大振，論功行賞，于謙加官『少保』，于謙不肯：『國家多難，卿大夫之恥也，豈敢邀功行賞？』景帝不理會，非賞于謙不可。

這一會兒，也先明白，明朝畢竟還有人才，可不能太小看對手了。也先與喜寧琢磨了半天，又想出一條新計，也先殺了一匹馬，備了好酒，把英宗找來，笑裡藏刀：『依我看，中國是不要你了，如果中國派使者來，我送你回去。』

英宗說：『要送就送，何必勞煩使者？』

『你回去，只是當太上皇，沒意思，不如這樣吧，我送你去南京。』

『去南京做什麼？』

『還是當皇帝啊，現在你弟弟當皇帝，只不過是于謙幾個人支持，你回南京，當然還是皇帝，我還送一個妃子，一路照料你。』

『妃子？』

『對啊，我妹妹，今年十九歲，有名的美人。』

又是回去當皇帝，又有美人相伴，明英宗不免心動了。

閱讀心得

【第808篇】袁彬患難見眞情。

也先被于謙打敗，落荒而逃，回到瓦剌，又想出一個新主意，他想把明英宗送回南京，當一個傀儡皇帝，並且送自己的妹妹爲妃子，明英宗頗爲心動。

英宗回答：『茲事體大。我回去想一想，明天再回答你。』

英宗回來，馬上找袁彬、哈銘共商對策。

袁彬是錦衣衛校尉，哈銘是翻譯官，他是蒙古人，此二人在北京時，根本連與英宗見面的機會都沒有，但是，此番天子落難在外，若不是靠了袁彬與哈銘，他二人爲英宗帶來的濃濃溫馨之情，英宗非死在塞外不可。

王振勸英宗出征，英宗視爲一件有趣、好玩，又可以立功的賞心樂事。眞正到了戰場，一敗塗地，滿地傷兵，他恨不得馬上回宮，奈何天不從人願，英宗自小最敬愛最依賴的王振死了，自己又被也先活捉，簡直是一場噩夢，卻沒有醒來的時候，英宗眞是欲哭無淚了。

幸而此時，天上掉下一個袁彬，袁彬眞好，忠心耿耿，細膩體貼，不論上下山坡，涉足溪澗，凡是有危險的地方，袁彬總是小心翼翼，在一旁盡心盡力保護英宗，好言好語安慰英宗。

天子落難，其他被俘的臣子自身難保，懶得多理英宗，而且明哲保身，

遠離英宗，免得被也先疑忌，遭來不測，中官喜寧等乾脆立刻改爲投靠也先，相形之下，袁彬與哈銘眞是傻。

這個傻傻的袁彬還眞是周到，塞外寒冷，大家都沒有禦寒的衣服被褥。到了晚上，袁彬來到英宗的帳房，發現英宗正在啜泣，偷偷哭得像個見不到媽媽的小孩。

袁彬悄悄躺下，把英宗冰冷的雙腳，放入自己溫暖的胸前，小聲地詢問：『皇上暖些了嗎？』

英宗用力的點點頭：『是的，剛才好冷啊。』

『那我以後，天天晚上都來。』

英宗感激地望了袁彬一眼，嘆一口氣道：『人，眞是一種最奇妙的動物，若不是被俘，我看不出喜寧是如此現實的小人，我也不會發現，你是如此不顧現實利害，朕現在不是皇帝，沒法給你任何承諾與保證，你所爲何來。』

『皇上不必多想，不用多說，能有機會爲聖上效勞，這是我的福氣。』

袁彬誠誠懇懇地回答，英宗的眼中，泛出了感激的淚光。

從此以後，袁彬與英宗，兩人形影不離，朝夕共處，彷彿是骨肉至親一般，又似乎是患難兄弟，相扶相持。

有一回，袁彬太忙太累，加上塞外苦寒，水土不服，終於爬不起來了。

英宗一摸袁彬額頭：『糟了，好燙，一定是發燒了，怎麼辦？』

英宗急得在帳幕中繞來繞去，這兒不是皇宮，沒有御醫，沒有藥物，沒有禦寒的衣物，就是連生個火都困難，怎麼辦呢？

英宗好著急，最後，他只想到一個辦法，就是脫掉上衣，用身體壓著袁彬的背，讓自己的體溫爲袁彬驅寒。

袁彬發現了，睜開眼睛，雙手亂搖：『不行、不行，這如何可以，折騰死我了。』

『唉，到這般地步，還分個什麼君臣之禮。』英宗溫柔地回答。

這一句話，彷彿是一道暖流，流過了袁彬的心田，他心想，自古至今，大概也沒有皇帝光裸著身子，爲臣下禦寒的吧，他與英宗之間，這份深情，若不是天子遇難，又哪能碰上？想到此，心理一增強，汗流浹背，不一會兒，袁彬燒退了，英宗大喜過望，拉著袁彬的手：『沒有你，我怎麼熬下去？』

如今，英宗有機會回國了，他急著找袁彬商量。

袁彬相當冷靜，他分析道：『此路不通，天寒地凍，皇上又不大會騎馬，從寧夏，下陝西，入湖北，再往長江，最後才到南京，路途遙遠，不知會發生什麼意外，一路守將未必會開門，大同的郭登，就是一個現成的例子。』

『至於獻妹嗎？那根本是監視皇帝啊。』

英宗一聽此言，好像是洩了氣的皮球，其實，他還挺中意也先的妹妹，也先長得粗裡粗氣，外貌可怖，奇的是也先妹妹相當標緻，秀秀氣氣，一雙大眼睛，眼波流轉，好讓英宗心動。

袁彬看出了英宗的心意，他心想，食色性也，皇帝在宮中，左擁右抱，到了塞外，見到送上門來的絕色，又怎捨得拒絕？

因此，袁彬又加了一句：『也先獻妹，若是接納，更沒有逃出這個鬼地方的機會了。』

哈銘在旁，也表示同意袁彬的看法。英宗終於點點頭：『還是你們考慮得周到。』

閱讀心得

【第809篇】

明英宗計誘喜寧。

也先扣押明英宗爲人質，他想把英宗帶到南京，當傀儡皇帝，並且把妹妹嫁給英宗，隨時監視英宗的一舉一動。

英宗與袁彬、哈銘商量的結果，此事不可行。

於是，英宗婉轉地向喜寧解釋：『我不擅長於騎馬，一路風雪，恐怕支撐不住，不如等到明年，春暖花開時再遠行不遲。』

『噢，』喜寧的眼珠子，滴滴溜溜轉了一轉：『那麼，意思是暫緩？』

『是的。』

『那麼，先娶妃吧，娶個老婆好過年。』

『你是指太師的令妹？』

『沒錯。』喜寧揚著臉：『人家可是絕色啊。』

英宗其實是歡喜的，不過，權衡輕重，他仍然委婉地拒絕：『冊妃可是大事一件，怎能委屈太師的令妹，這一樁事，不如也等到我回南京時，再作考慮吧。』

喜寧用不可置信的眼光瞅著英宗：『皇上不是見過她，而且挺喜歡她嗎？』

英宗不回答，只是再三地說：『此事不急在一時。』

英宗的確見過也先的小妹妹，由於從未料到塞外有如此的清秀佳人，眼睛定定地追著美人許久，喜寧曾經看在眼中，因此，對於英宗的拒絕，著實大感意外。

喜寧轉過身來，看到袁彬，忽然之間，一切都了解了，他指著袁彬道：『就是你這個混帳作梗，不用說也猜得到。』

第二天，也先派人來，說要袁彬與哈銘去帳中。也先有請，當然不得不去。

袁彬一走，英宗心裏就嘀嘀咕咕，放心不下，英宗心想，也先找他們，準沒有好事，是教訓一頓，或是……，想到這兒，英宗再也坐不住了，站起身來，就直往也先的營帳。

英宗一踏入，就發現袁彬、哈銘二人都被五花大綁，綑得牢牢的，不禁大驚失色：『咦，你們要幹什麼？』

緊接著，英宗一個箭步向前，伸出手來，兩隻手緊緊抱著袁彬，哽咽地說：『我知道你們要殺袁彬，不如先殺了我吧，沒有他，我也不能活下去了。』

也先總不能把人質給殺掉，只好滿心不情願地放了袁彬、哈銘。

袁彬撿回一條命，君臣三人楚囚對泣，唏噓不已，光是嘆氣沒用，非得面對現實不可。三個臭皮匠，勝過一個諸葛亮，三人研商了半天，終於想出了一條對付喜寧之計。

過了一段時日，也先又提起，要英宗寫信給孫太后，要明朝早日遣使談判送回英宗的事。

『光是寫信沒用，得派一個人去才行。』

『派誰？派袁彬行不行？』

英宗搖搖頭，『不行，依照規矩，他不能入宮，也見不到太后。』

『這倒難了。』也先想了一想：『那麼不如找喜寧，喜寧是太監，可以入宮。』

『沒錯，他是可以，只怕他一入宮，北京城中有人對他不滿，就會先殺了他。』

『如果，有人證明，喜寧是欽差，就沒人敢殺他。』

『對，』英宗簡單地回答，『不如派高磐跟了去，高磐是錦衣衛百戶，守將全認得，會讓他入關。』

也先大喜：『如此再好不過了。』

於是，英宗寫了一封信，請求孫太后及早派人遣使赴瓦剌談判，由喜寧、高磐轉交。

喜寧和高磐到了宣化府，都督僉事右參將楊俊正在巡視。

喜寧高聲喊道：『我是太上皇帝欽差喜寧，快快開城，我要進京覲見太后。』

楊俊當然不會貿貿然開城，但是，也不能完全置之不理，楊俊思考了一會兒，自己出了城，帶了一些點心，把喜寧、高磐帶到小房間中，打開食盒，飲酒漫談。

喜寧是小人得志，根本沒把楊俊放在眼中，一個勁兒催：『快點，我要早點見到孫太后，沒工夫在這兒多耽擱。』

突然之間，高磐走到喜寧的背後，死命地摟緊喜寧，並且對楊俊說：『請楊將軍把我與喜寧一塊兒綁起來。』

楊俊一下子呆住了，高磐又叫：『快！拜託！』

楊俊立刻吩咐左右，把他二人給綑起來，不曉得高磐葫蘆裏賣什麼藥。

高磐被綑起來，似乎安心了，他說：『請解開我小腿上的裏腿，裏面有皇上的親筆信。』

楊俊一層一層解開高磐的裏腿布，裏面果然有一封信，拿到油燈下一看，上面寫的是：

『字諭邊關守將，中官喜寧，慫恿也先入寇，並且不欲送朕回京，罪大惡極，茲派錦衣衛百戶高磐誘使回國，凡是我守將，務必擒喜寧，送北京交法司誅之，切切勿誤。』下面署一個字『鎮』，明英宗的名字是朱祁鎮。

楊俊一看，這件事假不了，他也辨不了，馬上連人帶書信，火速送往北京。

閱讀心得

【第810篇】

明景帝的拖延戰術。

喜寧被俘，由於英宗有諭：『務必抓住喜寧，送京交法司誅之，切切勿誤。』因此，當喜寧到了京師，很快就被押往西安處決，並且把他的屍體公開暴露三天，讓大家看看，背叛君主的下場就是這樣。

喜寧是也先的新寵，喜寧替也先送信，竟然被殺了，也先當然光火，揮兵南下，大同、陽和、宣化一帶都吃緊。

但是，也先畢竟人馬不足，更重要的是，明朝有了于謙領導，加強了邊疆與京師的防守力量，使得也先無隙可乘，反而白白損失了不少人馬。

也先盤算了半天，覺得如此這般耗下去，實在不划算，因此，也先又派人到明朝，表示願意談和，同時，還暗暗表示，中朝（指明朝）不妨派個人到瓦剌，探望一下太上皇。

土木堡之變，天子蒙難，全國上下深以爲恥，中國人一向是忠君的，尤其明朝人深受儒家思想薰陶，更時時刻刻以君王爲念，所以，朝廷中不斷有人建議，應該派使者赴塞外，帶些衣食，探望探望太上皇。

其中有個名袁敏者，曾經追隨英宗北征，後來僥倖不死，逃了回來，心中始終牽掛英宗的安危。

袁敏上書給景帝：『太上皇以前住在九重深宮，穿的是袞繡華服，吃

的是珍饈美食，住的是瓊宮瑤室，如今聖駕陷在沙漠，服有袞繡乎？食有珍饈乎？居有宮室乎？臣曾聽說，君主受到恥辱，臣子唯有一死，今天，太上皇受到這般的辱沒，臣子何以爲心，臣不惜碎首挖心，懇求派遣使者，帶些衣物前往沙漠，以盡臣子之義，臣雖萬死，心實甘願。』

袁敏的一番話，說得既誠懇又坦直，朝廷中許多大臣，都有同樣的看法，希望能想個辦法，把太上皇給迎接回國。

當然，站在景帝的立場來看，他是一百個、一千個不願意英宗回來。朝臣也不是傻瓜，自然也了解景帝的心理，所以，老臣王直乾脆明言：『陛下天位已定，太上皇回來，不再蒞天下事，不過僅是安慰祖宗之心。』

景帝聽了，不怎麼悅耳，他答覆王直：『你們說得有理，可是，我們派使不只一次，每次都是也先使詐，若是也先又假借送還上皇為名，乘機攻打京師，豈不是百姓遭殃？』

皇帝既然這麼表示，臣子也只好閉口了，這件事就這麼拖了下來。可是，也先卻不想再耗下去，也先真心想議和了，因為綁了一個英宗在手上，明朝又另外立了一個皇帝，這個人質顯然不發生效力，不如和好如初，至少每年朝貢，還可以得到一筆豐厚的賞賜。

也先又派了五名大臣，到中國來表示誠意。

景帝煩極，還是一個『拖』字。

這一回，王直仗著自己是四朝元老，老實不客氣地開口頂撞了，『太上皇蒙塵，依情論理，本該奉迎歸國，今日不遣使，他日必後悔。』

王直的話，講得很重，簡直是教訓景帝。景帝也惱了，氣呼呼地說：『朕本來就不想坐這個位子的，就是你們硬把朕推上來了，現在又嚕嚕嗦嗦，朕眞搞不懂是什麼道理。』

場面整個全僵住了。

這時，于謙又站出來了，于謙大公無私，任何事全是以國家整體爲考量，他對景帝說：『天位已定，不會再有任何變化。現在應該儘快去迎接太上皇，萬一，也先再使詐，那就不是朝廷的錯了。』

于謙這一句『天位已定，不會再有任何變化。』聽在景帝的耳朵裡，分外受用，何況于謙一向講話有信用，又有力量。於是，景帝臉也立刻變爲晴空萬里，馬上改口：『好，依你，依你。』

於是，一場僵局化解，全場一片『萬歲』之聲，聲不絕耳，群臣臉上都露出了歡喜的笑容。

王直等人終於盼到了這一天，景帝終於答應去接英宗了，興致勃勃地商討細節。

此刻，景帝身邊的興安，怒氣沖天的跑來，他一心護主，巴不得英宗永遠留在大漠，興安認爲，王直等人是欺負景帝。

興安跑進來，一臉等著吵架的陰暗神色，他挑釁道：『你們一定非要遣使不可，我倒要問問看，這兒有文天祥，還是有富弼？』

文天祥與元軍談判，富弼出使契丹，都要有不入虎穴，焉得虎子的膽識，所以興安有此一問。

王直也火了，他回敬興安：『皇上派誰去，誰就非去不可，若是實在找不到人，我去！這總可以了吧！』

說罷，王直袖子一甩，留下興安在一旁發楞。

閱讀心得

【第811篇】

太監興安護主心切。

瓦剌也先劫持明英宗，由於明朝已另立明景帝，也先攻明又無法取勝，挾持著一個中國皇帝，毫無利用價值，於是，轉變態度，積極與明朝展開和議，表示願意將太上皇無條件送還。

景帝自然是不希望英宗歸來，卻又擋不住王直等大臣再三催促，終於被迫答應派個人赴瓦剌去談談看。

此時，禮科給事中李實毛遂自薦，願意擔任志願之士前往瓦剌。李實是禮科之中，有名的辯論大王，為人不拘小節，頗有幾分小聰明，自認為才高八斗，卻未獲重用。李實心想，或許辦成這一趟外交，能夠平步青雲。景帝為了獎勵李實的膽識，同時，為了表示明朝派出的不是小官，特別在李實臨走之前，升李實為禮部右侍郎。

李實興高采烈的拿了國書，以及明朝賜給瓦剌脫脫不花國王的銀子綢緞，準備出發。

李實接過璽書，順手一抽，拿起來一看，大吃一驚，『咦，怎麼沒寫要奉迎太上皇回國的話，難道不小心忘了？』

李實急忙奔到內閣，由於太慌張了，在台階上差一點被絆倒，李實一抬頭，恰好遇到景帝最寵愛的太監興安。

興安見李實手上拿著璽書，心中知道是怎麼一回事，把右腳一伸，擋著李實的去路：『你急著往裡面闖，到底要做什麼？』

『璽書之中，怎麼竟然沒提到，要奉迎太上皇之事，幸虧我發現了，否則豈不是鬧笑話。』

『鬧什麼笑話？』興安怒眼一瞪，彷彿想把李實吃下去似的。興安火冒三丈：『你啊，管這許多做什麼？捧著黃封套去也就是了。』

李實心裡明白，這是景帝使詐，璽書是有意不寫奉迎太上皇，所以要求景帝改璽書是不可能的，李實只好黯然回家，準備起程到瓦剌去，一切隨機應變了。

景帝景泰元年七月裡，李實冒著毒辣的太陽，到達了瓦剌，放眼望去，光禿禿的沙漠，疏疏落落立著幾個蒙古包，李實很難想像，養尊處優，自小生長在皇宮內院的英宗，怎麼熬得住。

不一會兒，李實見到了英宗，更是百感交集，英宗穿著一件破破爛爛、已經泛黃的短衫，神情疲憊，臉色憔悴，頭髮披在肩上，呆若木雞，所謂『虎落平陽』大概就是這個模樣吧。

李實喉頭哽咽，勉勉強強擠出一句：『臣李實，恭請聖安。』規規矩矩叩了一個頭。

『請起來吧。』

當李實站起來，與英宗雙目一接觸，雙方都忍不住淚漣漣，不斷地用袖口抹眼淚。

『唉，終於終於有人來看朕了，太后、皇上還好吧？』

『都好。』李實回答。

『來，來喝奶茶。』英宗交代身旁的哈銘、袁彬。

袁彬取來一皮袋奶茶，倒在木碗裡，奶茶是塞外人民的日常飲料，營養豐富，但是又羶又腥，李實喝了一大口，一陣反胃，幾乎吐了出來，李實再看帳篷裡，又小又熱，髒亂無比，大頭蒼蠅嗡嗡地飛來飛去，有一隻竟然不偏不倚，落點恰在太上皇的鼻尖上，奇怪的是，太上皇也不用手揮，彷彿十分習慣了。

中國人對天子都有一份說不出來的敬愛，李實也不例外，對於眼前天子蒙塵這一幕，他簡直無法接受，忍不住開口批評：『都怪王司禮，建議御駕親征，否則，太上皇也不至於在此受苦。』

『你的話朕不能同意。』英宗非常不高興道：『你不要隨隨便便批評朕身邊的人，王司禮是忠心的，何況他還爲國捐軀了，朕實在是十分思念王先生。』講到這兒，英宗的眼圈都紅了。

李實嚇呆了，自然也不敢再開口。他心想，都說上皇糊塗，放縱身邊小人王振生事，看來一點也不錯，上皇到了今天這步田地，依然沒有絲毫悔意，或許，『護短』也是人天生的劣根性吧。

英宗雖然落魄至此，見到了臣子，自然又擺出了皇帝的架子：『你把朕的衣服帶來了沒有？』

李實這才發現，太上皇的衣衫，肘子上一個大洞，露出髒黃的皮膚，而且身上飄出許久未洗澡，酸酸的惡臭味，眞是狼狽到了極點。

李實思索了一番，很得體的回答：『此行原不料有機會遇到上皇，因此也沒攜帶上皇的衣服，不過，臣自攜帶的衣服，可以敬獻上皇。』

最後，李實還是忍不住，又說了一些上皇不愛聽的話：『土木堡事變，全由王司禮而起，希望上皇歸國之後，下詔罪己。』

所謂下詔罪己，就是皇帝頒下詔書，自己責備自己，這個話不入耳，上皇乾脆閉嘴不回答。

閱讀心得

【第812篇】

楊善散財救主。

明景帝派遣李實，前往瓦剌，與也先展開和議，但是，李實帶去的璽書之中，卻沒有提到想要接回太上皇，因此，也先再度派人前來明朝，表示願意將太上皇無條件奉還。

明景帝爲此，愁眉深鎖，他是一千個一萬個不希望明英宗回來，雖然于謙在朝廷之上說過：『天位已定，寧復有他。』可是，球是圓的，太上皇回來以後，到底如何發展，誰有把握？卻又不能不派人去接上皇，否則，一定又有臣子嚕嚕囌囌嘮叨：『上皇對於陛下，有君之義，有兄之恩，安得而不迎？』

想來想去，最後，明景帝仍然是一個『拖』字，他又派了楊善去瓦剌談判。不過呢，楊善帶去的璽書之中，依舊沒有奉迎太上皇歸國的話，在景帝看來，最好太上皇熬不住餐風宿露之苦，病死在大漠，那就一了百了。

楊善是太學生出身，明成祖起兵時，守城有功，擔任典儀所引禮舍人。在朝廷任官多年，始終是個小官，爬不上來。

明朝初年，明太祖重視太學生，常不次擢用，舉凡中央要員、地方大吏都派太學生擔任，成爲太學生的全盛時期。

明中葉以後，學校腐敗，國家社會都不重視學校，甚且有『身非進士，

不能入閣』之語。所以，楊善非科舉考試出身者，宦途是非常坎坷的。楊善人長得很帥，聲音又極爲洪亮，他也知道自己這個優點，因此，每次在鴻臚寺當序班，引人入奏時，楊善清亮的語音，每每引起明成祖的注意，總是忍不住多看他兩眼，對楊善這位英俊小生注視許久。

不過，楊善爲官四十多年，由帥哥進入了帥公，由英俊小生熬到白髮已見的英俊老生，依然是個小官，實在是楊善內心頗爲懊喪的事。

明英宗北征瓦剌那場戰役，楊善也擔任扈駕，跟著浩浩蕩蕩的部隊前去，到了土木堡，明兵潰不成軍，楊善人機警，溜得飛快，夾著尾巴逃回京師，回到家裡，天天失眠，半夜醒來，總覺得自己還身陷土木堡之中。

由於這一份同病相憐，楊善對於落入敵手的太上皇，有說不出的同情與不忍，他時時幻想，如果當時也被俘虜，現在不曉得是如何光景，想到這兒，楊善不免打了一個寒顫。

景帝即位，朝廷臣子循依慣例，彼此在朝房相賀。楊善走了過來，冷冷地丟下一句話：『上皇現在淪落到什麼地方去了？你們還在彼此相賀？』

大夥驚詫地望著楊善，只見楊善因爲過於激憤，滿眼飽含淚水，大家都收起了笑聲，個個臉色凝重地走開了。

後來，李實被派往瓦剌，與也先交涉，楊善著實欣喜了一陣子。接著，楊善聽說，景帝其實不願意太上皇歸來，所以，璽書之中，沒有奉迎的意思，楊善眞是氣惱萬分。

這一回，景帝又要派人赴瓦剌，楊善於是當仁不讓，毛遂自薦，他很夠意思地對朋友說：『我決定用一片丹心，三寸不爛之舌，四名小犬，萬貫不吝之財，全力把太上皇救回來。』

原來，楊善雖然官階不高，祖上頗留下一些家產，楊善這一回是鐵了心，全力以赴，不達目的，絕不中止。

爲了辦這一趟外交，楊善找了一些志同道合的朋友，在家中進行沙盤演練。

王直首先發言：『與胡人交涉，出手不能太寒酸，偏偏朝廷只準備了脫脫不花與也先的賞賜，恐怕是不夠了。』

『關於這一點，各位不必擔心，你們隨我來。』

楊善帶領衆人，來到隔壁一個小房間，裡面全塞滿了布帛綢緞、茶葉藥材，而且全是上等好貨。

楊善說：『我打聽過了，這些全是塞外罕見、胡人又最歡喜的關內名產。』

王直說：『佩服，佩服，楊兄花費不少。』

『豈止花費不少，我是盡散家財，一定想辦法把太上皇給弄回來。』

胡濙道：『敢情楊善乃今之弦高。』

『豈敢，豈敢。』

弦高是春秋時代，鄭國的一名富商。秦穆公派兵偷襲鄭國，弦高途中巧遇，心中發急，突生急智，他以鄭國的名義，捐出十二頭牛勞軍，並且派人通知鄭國。

秦穆公嚇了一跳，『奇怪，我們這次出兵，事前防範嚴密，鄭國怎麼會知道？既然鄭國都曉得了，事前一定有所防範，不如就此罷兵。』

由於弦高的慷慨解囊，讓鄭國減少了一場浩劫，歷史上傳誦不已，譽之爲愛國商人。

楊善效法弦高，能否成功呢？楊善心中沒有把握，他把桌上的一盃酒，一飲而盡：『總該試試看吧。』

閱讀心得

【第813篇】

楊善的送禮攻勢。

楊善憑著『一片丹心，三寸不爛之舌，四名小犬，以及萬貫不吝之財』，終於到達瓦剌，期望能夠救回明英宗。

由於楊善帶去的禮物太多了，一路之上，來往搬運，實在辛苦，幸虧楊善四個兒子，一個比一個高大壯碩，搬上扛下十分麻利。

楊善原是長袖善舞型的人物，人長得漂亮，雖然年紀大了，風度仍不減當年，加上出手闊綽，隨手掏出的全是名貴貨品，因此，他一到了瓦剌，馬上成爲風頭的焦點，他笑聲不斷，音調洪亮，似乎非常爽快的樣子，瓦剌人很欣賞楊善的豪邁。

也先聽說明朝又派了個楊善前來，決定先派田民去探探底，弄清楚楊善的來意，在此方面，也先是深諳知己知彼的道理。

這個田民，原先也是明朝軍人，土木堡之役以後，被瓦剌所俘，田民爲了求生存，很快地投向也先這邊。自從喜寧死後，田民就取而代之，成爲也先身邊第一紅角。

楊善是個老狐狸，他自然明白田民扮演的角色。田民一來，楊善堆起滿面笑容，先把帶來的禮物，一一託田民轉交。接著，掏出用紅布包裹著，極爲名貴的人參交給田民：『這是千年老參，我特別留給你的。』

田民不料楊善有此一著，大有被重視的愉悅，也故示大方地表示：『我是卻之不恭，受之有愧，咱們閒話少說，先來喝個兩盅，嘗一嘗全羊宴吧。』酒過三巡之後，田民問楊善：『土木堡一役，南朝的軍隊好沒用啊。』

楊善瞅了田民一眼，心想，你田民當時也正是沒用中的一個。當然，他可不會將心事寫在臉上。

『沒錯。』楊善抿了一口酒，笑道：『塞外的酒好烈。』『當時，凡是精壯有力的軍隊，全被調去南征猺人僮人。王司禮也不是存心去打仗，而是想邀聖駕去故鄉露一露臉，要是換了現在，那情況可又不一樣了。』

田民好奇地問：『怎麼說？』

『道理非常簡單，』楊善閒閒地回答：『南征的軍隊全回來了，總共有二十萬人之多。而且于謙于尚書爲湔雪前恥，又挑了三十萬精兵，專門訓練神鎗、火器與毒藥弩箭，遠在百步之外，就可以置人於死地。這還是一般人看得到的，另外，于尚書另有秘密武器。』

『是什麼？』田民瞪大了眼睛。

楊善張開嘴，想說，又嚥回去。

『到底是什麼？說來聽聽嘛。』田民忙著爲楊善斟滿了酒，好奇地追著問。

楊善裝著考慮再三的模樣，最後才說：『于尚書手下，有一個厲害的策士，他下令將所有邊界，全都埋設了鐵樁，鐵樁深可三尺，上頭露出一個五寸長尖尖的矛頭，馬蹄踩上去，當場鮮血直噴。』

講到這兒，楊善發現田民痛苦地閉了一下眼睛，彷彿他正騎坐馬匹，踏在矛尖上。

楊善又接著說：『另外，于尚書還請了少林寺功夫高的老和尚，訓練一批刺客，像這樣簡陋的蒙古包，』楊善抬頭望一望：『刺客一躍就上去了，一會兒，匕首就插在誰的脖子上了。』

田民不自覺地摸一摸脖子，又往上探視蒙古包，確定此刻沒有刺客，方才又飲了一盃酒。

楊善又故意懊喪地說：『可惜，這些好裝備，現在全都用不著了，大家和議一成，歡好如兄弟，兄弟之間，何必兵刃相見，你說是不是？』

于謙的威名，田民是耳熟能詳，因此，楊善的話，田民是全都聽進去了。

酒過三巡，楊善突然摘下手上的玉鐲子，熱絡萬分地遞給田民：『這是我們楊家的傳家之寶，今日，你我投緣，我就送給你吧。』

『這怎麼可以？』

『怎麼不可以，只要你喜歡我喜歡，有什麼不可以？』楊善一副非要送的姿態。田民也是識貨的，既然楊善如此大方，他也是不拿白不拿。

第二天一大早，田民立刻求見也先，加油添醬把楊善的話，複述了一遍，並且盛讚楊善夠體面，出手闊。

田民巴結地把楊善拜託轉交的禮物奉上，並且一件一件地品評：『你瞧，這緞子多細。』『看，這可是中原最珍貴的藥材。』『喏，這是武夷山的茶葉，香味不得了。』

也先原本貪婪，一件一件收下禮物，對楊善的好感，也就一層一層地增加。

也先欣賞完畢，田民這才分析道：『楊善之言，不免誇大，但是，于尚書的本事，也的確是有的。』

也先曾經是于謙手下的敗將，他知道于謙果然是個出將入相的人才，因此，他不住地點頭：『我了解。』

閱讀心得

【第814篇】

楊善伶牙俐齒。

楊善攜帶厚禮，到了瓦剌，希望能夠想辦法把太上皇明英宗給救回來。也先收下了田民轉交的種種珍奇異品，當天晚上，整夜把玩，愛不釋手。當下便決定，如無意外，就把這個累贅的人質給放了，再換一些寶物好享用享用。

另外一方面，楊善也在失眠，一個人在小小的蒙古包中，走過來，踱過去，仔細考慮明天雙方會談的細節。

表面上看來，楊善憑著萬貫不吝之財，悃悃的一片丹心，費盡心思，營救上皇，的確令人感動，其實，他有他的私心。

楊善家中頗有一些資產，奈何由於非進士出身，使盡了全身吃奶的力氣，怎麼也爬不高，他也曾巴結王振，逢年過節，不斷地向高官奉上厚禮，卻怎麼也升不上去。

楊善同情英宗，但是，他更同情自己，楊善做出一副效法愛國商人弦高的模樣，毫不心疼地盡散私財，其實，他是在賭，希望押對了寶，明英宗回到朝廷，再掌大權，那麼，楊善就扶搖直上，成爲頭牌紅人了。

第二天，楊善與也先一見面，楊善就笑聲朗朗，又獻上禮物。也先納悶地說：『昨天不是送過了嗎？』

楊善神秘地笑笑，透過翻譯解釋：『這個不一樣喔。』

也先興奮地拆開包裹內很漂亮的禮物，赫然發現是一個大銀盃，上面刻了八個大字：『太師淮王，加官晉爵。』

田民在一旁，諂媚地再三講解，也先頓時面有喜色，眞正是所謂『禮多人不怪』。於是，也先拉著楊善的手，親親熱熱地說：『來，咱們坐下談。』

楊善開門見山，單刀直入詢問也先：『有件事，我不明白，想要請教太師。太上皇帝正統年間，太師進貢，每次必派三千人，每次回去，都是金幣載途，太師何以背棄盟約，進攻中國？』

也先剛收了禮，對楊善的直言，並沒有不開心，反而是滿腹委屈的訴苦道：『爲什麼削我的馬價？爲什麼賜給我的衣帛，其中很多是剪斷的，又爲什麼我派去的好多人都放不回來。另外，還減了每年固定的歲賜。』

也先愈講愈激動，氣咻咻地說：『這一口氣，教人怎麼能夠忍得下去？』

楊善好言好語道：『這不是削太師的馬價，實在是負擔太重，但是，太師的馬既然運到了，又不忍心退回，只好稍微減少一點，太師自己估算看看，整個說來，是不是反而比以前增加？至於衣帛被剪，這是通事做的壞事，事發之後，已經問斬。』

楊善眞是應變本領一流，哪有什麼通事處斬，反正他信口胡編，也先也無從查證，楊善又加了一句：『譬如說，太師送來的馬，也有劣馬，送來的貂皮，也有毛都光禿禿的，這又哪兒是太師的意思。』

其實，用劣馬、敝貂濫竽充數，正是也先的意思，但是，也先總不好承認，所以頻頻點頭。

楊善又鼓起三寸不爛之舌道：『再說，太師每年遣使，多至三、四千人，其中難免有壞人在內，或者犯了法，或者偷了東西，害怕回來之後，遭到太師處罰，所以自己逃走了，明朝政府幹嘛把他們留下來？』

楊善的口才，把死的都說成活的了，因此，透過翻譯馬顯的說明，也先不斷點頭，十分開心的樣子。

楊善察言觀色，認爲是時候了，所以，正式提出要求：『太師再三發動軍事攻擊，屠殺我軍民數十萬人，可是，太師部隊也死傷不少，上天好生，太師好殺，何必逆天行事，如今，不如歸還上皇，兩國和好如故，中國金子布帛源源不絕送上門來，兩國俱樂，豈不是美事一樁？』

『金子布帛源源不絕』這句話，深深打動了也先。不過，也先還是要端一端架子，也先問楊善：『奇怪，璽書之中，何以沒有提到，希望奉迎太上皇之語。』

關於這一點，實在是景帝根本不想要楊善把太上皇弄回來，卻是楊善無法老實告訴也先的難言之處。

不過，楊善挺有本事，他堆起滿面笑容，從容不迫道：『這是朝廷希望成全太師的美名，讓太師自願把太上皇送回來，如果說，明明白白寫在璽書之上，倒反而顯得強迫太師。我想，太師不是一個能被強迫的人。』

也先聽了，所有毛孔齊放，有說不出的舒服。

旁邊一個名叫昂克的瓦剌大臣，忍不住道：『你們要迎回上皇，何以不用金銀珠寶來交換？』

『唉，這當然不行。』楊善馬上接口：『如果用金銀珠寶交換，人家一定會說，太師太貪利。唯其如此，才能彰顯太師仁義，名垂青史，頌揚萬世。』

這番恭維，也先是飄飄欲仙，忙不迭地說：『好，我就把上皇交給你。』

閱讀心得

【第815篇】

明景帝愁腸百結。

經過楊善父子的一番努力，遭也先所挾持的明英宗終於可以被放回來了。

消息傳到京師，有人欣喜若狂，大呼小叫：『萬歲，太上皇要回來囉！』也有人發愁，當然，最煩惱的人是明景帝。景帝心中暗暗罵道：『楊善簡直就是違反聖旨。』

景帝掛著一張苦得不能再苦的苦瓜臉，憂心忡忡問身旁的太監興安：

『他回來以後，住在哪兒呢？總不能也住在大內吧。』

興安回答：『當然，反正有唐朝唐明皇的例子。』

景帝冷冷道：『那可不是什麼好的例子。』

唐朝天寶十四載，安祿山親率十五萬大軍從范陽起兵，當時唐朝經過長期的太平，百姓未曾遭遇兵亂，突然聽到消息，無不驚駭。天寶十五載，安祿山在洛陽稱帝。唐玄宗在倉皇之中，逃離前往四川，半途之中，到達馬嵬驛，將士們又餓又疲，憤怒異常，把禍首楊國忠殺掉，支解屍體，並且把他的頭鉤在長槍上，掛在驛門外。

殺了楊國忠，兵士們還不能息怒，非要殺楊貴妃，因爲楊國忠若不是靠著楊貴妃的關係，豈能扶搖直上，當了宰相。最後，唐玄宗沒可奈何，

只好命令高力士把楊貴妃帶到驛館的佛堂，把貴妃縊死，正如同白居易在〈長恨歌〉中所描述的：『……六軍不發無奈何，宛轉蛾眉馬前死，君王掩面救不得……回看血淚相和流。』

馬嵬驛事變以後，唐玄宗失魂落魄繼續西行，卻有一群父老攔路請玄宗不要逃亡，父老們說：『宮闕，陛下家居、陵寢，全都在此，現在捨棄了這些要到哪兒去？』堅持不肯放行。

唐玄宗痛苦道：『天也。』於是，玄宗答應把太子留下來，玄宗與太子分道揚鑣，太子北行，玄宗入蜀。其後，太子即位，尊玄宗爲上皇天帝，改元至德，是爲唐肅宗。

後來，安史之亂平定，肅宗即遣太子太師韋見素到成都，奉迎上皇，並且派出精騎三千人迎駕。當上皇到達南樓之時，肅宗脫下了黃袍，換上了紫袍，表示不再是天子，在樓下誠惶誠恐拜見上皇。

父子二人相見，抱頭痛哭，嗚嗚咽咽，上皇拿了一件黃袍，親自溫柔地爲肅宗換上。肅宗不肯，慌慌張張又要下跪，上皇說：『能讓我安享餘年，就是你的孝順了。』肅宗不得已，只好答應。

當天晚上，準備了豐盛的筵席，每一樣菜，肅宗親自嘗過，再殷勤爲上皇佈菜。第二天，肅宗且親自爲上皇牽馬。

上皇說：『不可如此。』於是，肅宗改爲騎馬前導，卻不敢騎在馬路正中央，而是歪歪地騎在道側。上皇感歎萬千道：『我當了五十年天子，未足爲貴。今天爲天子之父，才眞正是當得起一個貴字。』

接著，父子二人同拜太廟，肅宗再度表示避位，上皇不許，一推一讓，鬧了半天，最後，皇位始定，上皇移居在興慶宮。

這一段歷史故事，景帝熟悉，大臣們也熟悉。

胡濙便說：『肅宗所作所為，這才算得上是忠孝雙全，情義兩孚。』

擁景帝派者可不這麼認為，在他們看來：『兄弟豈可與父子相提並論？』一位名叫王文的更說：『瓦剌要派五百人相送，誰知其中又暗藏甚麼陰謀。這一回來，我敢保證，不索土地，必索金帛，哪有這般便宜之事。』

王文這一嚷嚷，大夥面面相覷，低著頭，誰也不敢吭氣。

只有那腦袋清楚的于謙，淡淡地說了一句：『沒那麼嚴重，就不過派五百兵士，又何足畏？』

接著，于謙轉頭問胡濙：

『我們派出的使者，該到達宣化府了吧？』

『應該到了。』

胡濙並且提出奉迎上皇的儀節：『首先，派遣禮部官迎於龍虎臺，接著由錦衣衛具全副鑾駕，迎候於居庸關外，然後，文武百官迎接於土城外，到了教場門，諸將迎接，上皇自安定門入，進東安門，南面設座，陛下謁見，百官朝見，最後，迎入南內。』

所謂南內，當年唐玄宗以太上皇的身分，自西蜀回到長安以後，住在興慶宮，此宮稱之爲『南內』。明朝也有『南內』，便是大內之東偏南，位置與興慶宮相彷彿的崇質宮，不過，其規模無法與興慶宮相比，『崇質』二字乃崇尚質樸之意，可見其簡樸，民間稱之爲『黑瓦廠』。

胡濙提出的建議，景帝不但不接受，並且詰責：『居心安在？』在景帝看來，萬一從土城到教場門這一段路上，文武百官一致擁護上皇復統大政，那該如何？

因此，景帝斷然道：『我昨天接到上皇的手書，他希望奉迎之禮，務必從簡。』

這分明是景帝睜著眼說瞎話，群臣卻只好乖乖閉口。

閱讀心得

【第816篇】商輅迎接明英宗。

經過楊善的一番努力，明英宗終於可以被放回來了。

明英宗回首前塵，想到這一年以來，被也先挾持當人質，起居不定，東奔西走，挨餓受凍，彷彿是一場噩夢，夢醒來，卻不敢相信是真的，他用力捏自己的手指，好痛，果然是真的了。

瓦剌的伯顏帖木兒派了五百人相送到了宣化。明朝則派出許彬前往迎接，英宗一場噩夢醒來，由皇帝變成了太上皇，心裡也頗不能適應。

上皇問許彬：『你是兩榜及第？』

『是的，臣是永樂十三年進士。』

『好，那麼，你替我寫幾篇文章，第一是罪己詔；第二是撫慰群臣；第三是祭文，祭祀土木堡陣亡官軍。』

所謂罪己詔指的是，古代帝王發現自己犯錯，民心不服之時，具詔書自責，並以昭告天下。

上皇開出了作文題目，許彬不敢怠慢，倉促之間，手邊全無參考資料，完全要靠肚子裡的貨色，幸而許彬是飽學之士，文筆優美，一篇祭文寫得是悲壯悽涼，上皇看了頻頻點頭，尤其許彬了解上皇護短，故意寫了不少王振的好處，上皇更是不斷地說：『很好，你很用心。』

接著，上皇一行來到了居庸關，前往迎接的是商輅，上皇看到商輅，雖然高興，卻不自覺的低下頭來，有點兒慚愧。

原來商輅是『展書官』，所謂『展書官』是授課的業師，也就是上皇的老師，商輅是鄉試第一名，會試第一名，殿試第一名，整個明朝，也只有商輅是第一名到底的，俗稱爲三元及第。商輅學問道德都是一時之選，所以曾經擔任過上皇的老師。

商輅對研究唐史極有心得，因此，他曾經舉出魚朝恩等宦官的例子，殷殷勸戒上皇：『魚朝恩曾經説過，天下事豈有不聽我的嗎？可見宦官爲害之大。』

上皇不聽商輅的話，仍然寵信王振。不過，上皇始終認爲土木堡之役，不能怪王振，何況王振還為國捐軀了，他每每想及王振王先生，依舊思念不已。

在上皇看來，最最可惡的，不是也先，而是于謙。若非于謙擁立景帝，明朝與也先早就談和了，他也早就獲釋。當然，他也可能被也先殺害，明朝滅亡。『就算是死了我也甘心，反正是命嘛，最氣不過竟然我弟弟白白撿了皇位。』

由於心中這股怨氣難平，上皇一見商輅，馬上提出疑問：『也先曾經告訴我，于謙堅持要我遜位，可有此事？』

『沒錯，于謙功在社稷，也功在上皇。』

『這話怎麼說？』上皇眉毛一挑。

『因為也先準備挾天子以令諸侯，必須明朝換一個皇帝，也先發現手上人質無用，這才願意歸還上皇重修舊好。如今上皇平安歸來，就是最好的說明。』商輅懇切地回答上皇。事實上，當初在朝廷激辯之時，商輅也是站在于謙這一邊的。

商輅的回答既理性又有邏輯，奈何人不是理性的動物，尤其皇位之事很難看開，所以上皇耿耿於懷：『我聽說，當時雖說是朝廷共識，還是于謙一個人堅持。』

商輅發現，上皇眼中含有怨毒，心下一驚，連忙解釋：『于謙堅持，無非也是希望上皇安全。』

這句話，上皇完全聽不入耳，人都是得寸進尺的，上皇在大漠時，心想萬一有朝一日回京師，能保住老命就是萬幸，如今即將返國，又爲了皇位氣憤難消。

雙方沈默了一會兒，上皇又憂心忡忡道：『依你之見，我弟弟將來會不會易儲？』所謂易儲就是換太子。

商輅立刻回答：『無儲可易。』

上皇試探地問：『你是說，我弟弟還沒有生兒子？』

『正是如此。』

一聽此言，上皇比較心安。卻又不放心道：『可是，我弟弟年紀還輕，不愁沒兒子，等他有兒子以後，難保不易儲。』

商輅不方便多說什麼，只好說了一句：『天子聖哲。』

上皇嘆了一口氣道：『我知道，你是要我明哲保身，唉，一切都是命。』商輅心想，明明是你非寵用王振，天下騷動，偏偏要一切委之於命，沒辦法。

閱讀心得

【第817篇】錢皇后以淚洗面。

由於景帝的堅持，明朝採用了最簡陋的方式，以一轎二馬迎接上皇於居庸關。

雖然景帝盡全力打壓，對於北京民眾而言，于謙固守京城，瓦剌自知不敵，終於能把上皇放回來，總是一件大喜事。因此，幾乎所有北京城的居民，在八月十五日那一天全都擁到了街上，爭相一睹上皇的丰采。

上皇的車駕到了安定門，老太監金英掀開了轎簾，低低喚了一句：『老奴接駕！』四目相接，都是滿眶淚水。

接著小太監捧來了一個金盤，上面放著盤領窄袖黃袍，一條金鑲玉帶，一頂烏紗摺角向上的翼善冠，伺候上皇更衣。上皇撫摸著黃袍上面繡的金龍，想到自己已不是皇帝，不免黯然。

上皇步上兵車，車駕緩緩前移，只見安定門內，一片旗海招搖，文武百官齊呼萬歲。上皇進入東華門，下了車，拉著景帝的手，百感交集，流下兩行清淚。

『大哥。』

『弟弟。』

兄弟二人相擁而哭，哭得肩膀不斷地顫抖，心中各有委屈，上皇是丟

了天子的寶座，景帝是悲傷上皇幹什麼回來攪局。

景帝雖然一肚皮不開心，表面上還是得虛偽地客套一番：『大哥既然平安歸來，理當早日復位。』

『天位已定，豈能更改，這段期間，多虧你支撐大局。』

兄弟二人假來假去，很虛偽地互相推辭一番，然後，景帝依然當他的天子，上皇則心情灰惡前往南宮。

南宮位於太廟以西，以黑瓦蓋成，古樹參天，十分幽靜，就是太幽靜了，彷彿是一張沒有顏色的黑白照片，相較於大內的五彩繽紛，上皇的情緒低落到了極點。

上皇咬一咬牙，勉強壓抑住情緒，他心中暗暗安慰自己：『也罷，退一步海闊天空，總算可以見到皇后了。』

上皇與錢皇后伉儷情深，錢皇后是典型的中國賢淑婦女，溫婉內向，最懂得爲他人著想。正統七年被封爲皇后之時，上皇憐憫她娘家卑微，曾經想爲后族封侯，錢皇后推三推四，説什麼也不肯答應。

土木堡之變，英宗被俘，宛如青天霹靂，錢皇后爲了贖回上皇，二話不説，把從海州娘家帶來陪嫁的首飾、金銀、器皿滿滿地裝了兩大箱子，罄其所有全捐了出來，有宮女勸她：『娘娘，總要留一些，孫太后都沒拿什麼。』

錢皇后哭得披頭散髮：『皇上若是回不來，我要那些身外之物又有何用？』

結果，也先收了寶物，上皇依舊困在塞外。

從接獲消息那一剎那開始，錢皇后就日日夜夜，泡在淚水裡。白天哭，晚上也哭，哭得餓極累極睏極，不自覺就和衣躺在冰冷的地板上，夢中驚醒，又開始哭天搶地，結果，一個不慎，跌壞了腿成了跛子。

這下子，錢皇后哭得更兇了，又擔心皇上，又自艾自憐，眼淚彷彿決了堤，氾濫成災，後來，一隻眼睛就這麼哭瞎了。

因此，當上皇見到瘸了一隻腿、瞎了一隻眼，憔悴難看的婦人，怎麼也不相信這會是他的錢皇后，錢皇后應該是如花似玉、燦爛活潑的小仙女啊，上皇又憐又痛，又恨又氣。

『天啊，皇后怎麼變成這個模樣？』原本心情不佳的上皇，整個人都崩潰了，他趴在地上，用頭撞地：『我再也受不了了。』

上皇哭，錢皇后更哭，她哭自己爲何不保重身體，成爲殘疾之人，讓上皇看著傷心，錢皇后抓著頭髮，哀哀切切道：『都是我，都是我不好。』『好了，誰也不許再哭。』孫太后走了出來，嚴冷地下令：『今天是喜事，我們母子竟然還能相見，哭什麼哭。』

孫太后又指著錢皇后：『你啊，已經哭瞎了一隻眼睛，莫非你還想再賠上一隻眼睛？』

孫太后的話，畢竟有分量，皇后止住了淚水，上皇也擦乾了眼淚。孫太后清一清喉嚨道：『讓我們慶祝團圓吧，不過，大家記著，南宮之內，處處小心，事事謹慎。』

原來，景帝在南宮內外，做了周密的布置，到處都有錦衣衛，表面上是保護上皇的安危，骨子裡，自然是監視上皇，外頭的人，不准隨便進去，裡面的人，也不能自由出入，換句話說，上皇是被軟禁在南宮，無怪上皇不免低泣：『我好比籠中鳥，有翅難飛啊！』

閱讀心得

【第818篇】

廣西思明府的分屍案。

楊善神通廣大，竟然眞的把太上皇自瓦剌迎了回來，舉朝都認爲，楊善建立了不世奇功，理當封爵加賞。

但是，景帝不作如是想，在他看來，楊善並未奉命去迎接上皇，他這個人自作主張，簡直是違抗聖旨，不治楊善的罪，已經是夠客氣的了。所以，楊善的官職，只是由右都御史遷左都御史，二者都是正二品官職，算是平調，不升不降。

楊家傾家蕩產，得此結果，十分掃興，楊善四個兒子都鬱鬱寡歡。楊善本人倒是笑談自若，他對兒子們說：『無論如何，我們可是做了一件頂天立地了不起的大事，我們要沈得住氣，等待東宮即位，就有享不盡的榮華富貴。』

楊家老大搖搖頭，他原本想說：『父親未免過於天真。』沈思了一會兒道：『這個希望何其渺茫，東宮才三歲。皇上也不過二十歲出頭，誰曉得他會不會生一個兒子，把東宮給換掉。』

楊善說：『人總是靠著希望過活的，未來的事，誰也不能預料。』

楊家老大猜得沒錯，不久以後，景帝的寵妃杭妃果然一舉得男，生了一個白胖兒子。取名爲朱見濟。

朱見濟滿月之後，景帝就壓抑不住興奮地對汪皇后說：『朕想廢掉東宮，改立見濟為太子。』

汪皇后不悅，冷冷嘲笑道：『萬歲爺，你難道就不怕千秋萬世之後，人家笑話你。』

『奇怪，父死子繼，有什麼可笑，這是天經地義。』

『噢？天經地義？那麼，兄未亡弟即位，是否也算是天經地義？』

汪皇后性格剛烈，嘴巴也厲害，這話還沒說完，景帝火大極了，拿起一個金盃，就往汪皇后的臉上砸過去，汪皇后頭一偏，躲開了金盃，氣鼓鼓一扭腰，不理皇帝了。

景帝恨恨地說：『怪來怪去，就怪你自己只生了兩個女兒，莫名其妙亂吃醋。』

金盃落地，哐噹一響，招來了太監宮女，只見景帝面色鐵青，誰也不敢多開口，一個宮女默默把金盃撿起，深恐一個不小心，惹來橫禍上身。

汪皇后反對，更堅定了景帝的決心。可是年僅三歲的東宮，還是一個小娃娃，豈會有什麼失德失職，非要罷之而後去的惡行？景帝思前想後，不由得慨歎：『難喔。』

轉眼之間，見濟已經滿一歲了，景帝還是天天在愁這個難解的問題，他不斷地反覆思索，萬一他要更換東宮，哪些人會反對？

景帝開出了一個假想名單，然後，在景帝景泰三年正月裡，他忽然傳旨，賜大學士陳循、高穀白金一百兩，侍郎江淵、王一寧、蕭鎡、商輅白金五十兩。

這六個人迷迷糊糊地領了賞，卻不明白為何受賞，所謂是無功不受祿，反正皇帝有賞，總是好事，也就歡歡喜喜的收下來了。

景帝心中的苦悶，挨到了三月底，終於有人幫忙解開了。

事情是這樣的：廣西思明府是一個蠻荒邊陲地區，居民都是少數民族，政府無法派漢人官吏去治理，所以思明府的知府一職慣例便由當地的土著黃家世襲。當時的知府名叫黃琱，黃琱年歲大了，上奏朝廷，希望以其子黃鈞世襲。

黃琱有個兄弟黃竑見了眼紅，起了歹心，在一個月黑風高的夜晚，父子二人化了裝，摸黑進了知府衙門，快手俐脚結束了黃琱全家人的性命，並且把屍體支解，裝入了兩個大罈之中，埋在後園裡。

第二天，有人來報告噩耗，黃玹父子故作大吃一驚狀，流著眼淚，辦完喪事，並且高價懸賞捉賊。同時，黃玹上書巡撫，請求以其子黃震承襲思明知府。

黃玹父子自以爲做得天衣無縫，不料，被黃琱一個老僕人識破機關，向巡撫告了一狀。

巡撫李棠查訪的結果，果然是黃玹父子大逆不道，立刻逮捕入獄。

黃玹心想，人命關天，這下子可是死定了，又不甘願去見閻王爺，於是，請了千戶袁洪赴京師想辦法，袁洪到了京城裡，經過高人指點，以黃玹爲名，上了一道奏摺，請求景帝：『早日密定大計，另建東宮，以統一中外之心，斷絕他人覬覦之企圖。』

景帝見到奏摺，正中下懷，大喜過望道：『想不到，眞正想不到萬里之外，有此忠臣。』於是，立刻下令，赦免黃玹的罪，在景帝眼中，忠誠度是頂頂重要的，殺個人，算什麼？

閱讀心得

閱讀心得

閱讀心得

閱讀心得

歷代·西元對照表

朝　　代	起迄時間
五帝	西元前2698年～西元前2184年
夏	西元前2183年～西元前1752年
商	西元前1751年～西元前1123年
西周	西元前1122年～西元前 771年
春秋戰國(東周)	西元前 770年～西元前 222年
秦	西元前 221年～西元前 207年
西漢	西元前 206年～西元 8年
新	西元 9年～西元 24年
東漢	西元 25年～西元 219年
魏(三國)	西元 220年～西元 264元
晉	西元 265年～西元 419年
南北朝	西元 420年～西元 588年
隋	西元 589年～西元 617年
唐	西元 618年～西元 906年
五代	西元 907年～西元 959年
北宋	西元 960年～西元 1126年
南宋	西元 1127年～西元 1276年
元	西元 1277年～西元 1367年
明	西元 1368年～西元 1643年
清	西元 1644年～西元 1911年
中華民國	西元 1912年

國家圖書館出版品預行編目資料

全新吳姐姐講歷史故事. 38. 明代/吳涵碧 著.
--初版.--臺北市；皇冠，1995〔民84〕
面；公分（皇冠叢書；第2395種）
ISBN 978-957-33-1175-1（平裝）
1. 中國歷史

610.9　　　　84000130

皇冠叢書第2395種
第三十八集【明代】
全新吳姐姐講歷史故事〔注音本〕

作　者—吳涵碧
繪　圖—劉建志
發 行 人—平雲
出版發行—皇冠文化出版有限公司
台北市敦化北路120巷50號
電話◎02-27168888
郵撥帳號◎15261516號
皇冠出版社(香港)有限公司
香港銅鑼灣道180號百樂商業中心
19字樓1903室
電話◎2529-1778　傳真◎2527-0904
印　務—林佳燕
校　對—皇冠校對組
著作完成日期—1992年01月01日
香港發行日期—1995年09月25日
初版一刷日期—1995年10月01日
初版三十二刷日期—2021年05月
法律顧問—王惠光律師

讀者服務傳真專線◎02-27150507
電腦編號◎350038
ISBN◎978-957-33-1175-1
Printed in Taiwan
本書定價◎新台幣150元/港幣45元